MORITZ MOSZKOWSKI

SPANISCHE TÄNZE

OPUS 12

AUSGABE FÜR VIOLINE UND KLAVIER VON
PHILIPP SCHARWENKA

C. F. PETERS

FRANKFURT/M. · LEIPZIG · LONDON · NEW YORK

SPANISCHE TÄNZE

Moritz Moszkowski (1854-1925)
op. 12
Herausgegeben von Philipp Scharwenka

✤ Die kleingestochenen Noten sind nach Belieben mitzuspielen oder fortzulassen.

Edition Peters Nr. 2167

4

Moderato

2.

Edition Peters

MORITZ MOSZKOWSKI

SPANISCHE TÄNZE

OPUS 12

AUSGABE FÜR VIOLINE UND KLAVIER VON

PHILIPP SCHARWENKA

Violine

C. F. PETERS

FRANKFURT/M. · LEIPZIG · LONDON · NEW YORK

SPANISCHE TÄNZE

Moritz Moszkowski (1854-1925)
op. 12
Herausgegeben von Philipp Scharwenka

Violine

Allegro brioso

Violine

4

Violine

Violine

Violine

Violine

(Bolero)

Violine

MUSIK FÜR VIOLINE / MUSIC FOR VIOLIN

Violine solo

J.S. BACH 6 Sonaten und Partiten BWV 1001-1006 (Rostal) EP 9852
GENZMER Sonate (1983/84, rev. 1991) . . . . EP 8683
HALVORSEN Slåtter, Norwegische Bauerntänze . . . . EP 3083
NIELSEN Präludium und Thema mit Variationen op. 48 . . EP 3817
PAGANINI 24 Capricen op. 1 (Hertel) . . . . EP 9979
REGER 6 Präludien und Fugen op. 131a . . . . EP 3968
– Präludium e-Moll op. posth. . . . . EP 3968d
RODE 24 Capricen (Davisson) . . . . EP 281a
R. STRAUSS Orchesterstudien (Prill) . . . . EP 4189a/b
TELEMANN 12 Fantasien f. Violine ohne Baß (TWV 40: 14-25)
    (Fechner/Thiemann) . . . . EP 9365
VIEUXTEMPS 6 Konzertetüden op. 16 (Arbós) . . . . EP 2564
– 6 Morceaux op. 55 (Drüner) . . . . EP 8356
M. WEISS Sonate für Violine solo (1985) . . . . EP 10478
WIENIAWSKI Etudes caprices op. 18 . . . . EP 3395
– L'École moderne op. 10 . . . . EP 3368

2 bis 3 Violinen

BOCCHERINI Duos: G, E, f (GV 63-65) (Sitt) . . . . EP 3338
GENZMER Studieren und Musizieren für 2 Violinen (E. Keller)
– Teil 1-2: 26 Duos . . . . EP 8432a
– Teil 3: Sonatine . . . . EP 8432b
– Teil 4: 12 Duos . . . . EP 8432c
HAYDN 3 Duos op. 99 (nach Hob. III: 40; III: 20; III: 23) . . EP 3303
LECLAIR Sonaten A, F, D (op. 3 Nr. 2, 4, 6) für 2 Vl. . . . . . . H 15
PACHELBEL Kanon und Gigue für 3 Violinen und B.c.(Gurgel) EP 9846
REGER 3 Duos op. 131b
– Nr. 1 e-Moll . . . . EP 3969d
– Nr. 2 d-Moll . . . . EP 3969e
– Nr. 3 A-Dur . . . . EP 3969f
SPOHR 3 Duette op. 3 . . . . EP 1086a
– 2 Duette op. 9 . . . . EP 1086b
– 3 Duette op. 39 . . . . EP 1086c
– 3 Duette op. 67 . . . . EP 1086d
TELEMANN 6 Kanonische Sonaten für 2 Violinen
    TWV 40: 118-123 (C. Herrmann) . . . . EP 4394
VIOTTI Duos op. 29 (C. Herrmann) . . . . EP 1087a

Violine und Klavier / Cembalo

C.Ph.E. BACH Sonate g-Moll für Fl. (Vl.) und Cemb./Klavier,
    (früher J.S. Bach zugeschrieben, BWV 1020) (Gurgel/Jacobi). EP 9856
J.S. BACH Sonaten h, A, E (BWV 1014-1016) . . . . EP 4591a
– Sonaten c, f, G (BWV 1017-1019) (Stiehler/Schleifer) . . . EP 4591b
– Sonaten G, e, c (BWV 1021, 1023, 1024) für Violine
    und Basso continuo (H. Keller) . . . . EP 4591c
BEETHOVEN Sonaten (J. Joachim)
– Bd. I op. 12/1-3; 23; 24 (Frühlingssonate) . . . . EP 3031a
– Bd. II op. 30/1-3; 47 (Kreutzersonate); 96 . . . . EP 3031b
– Sonate F-Dur op. 17 (orig. für Horn) (Fr. Hermann) . . . . . . EP 149
BOCCHERINI Sonate B-Dur op. 5/3 (GV 27) (Vorholz) . . . EP 8079
BRAHMS Sonaten op. 78, 100, 108 (Flesch/Schnabel) . . . . EP 3900
BUSONI Bagatellen op. 28 . . . . EP 2449
CORELLI Sonaten D, F, e (op. 5 Nr. 1, 4, 8) (Klengel) . . . . EP 3836a
– Sonaten C, g, A (op. 5 Nr. 3, 5, 9) (Klengel) . . . . EP 3836b

CRUMB 4 Nocturnes für Violine und Klavier (1964) . . . . . EP 66465
DEBUSSY Sonate (Garay) . . . . EP 9121
DVOŘÁK Sonatine G-Dur op. 100 (Vorholz) . . . . EP 8162
– Romantische Stücke op. 75 (Gurgel/Thiemann) . . . . EP 9824
FAURÉ Sonate Nr. 1 A-Dur op. 13 (Howat) . . . . EP 7487
– Sonate Nr. 2 e-Moll op. 108 (van Amerongen) . . . . EP 9891a
– Après un rêve (Howat) . . . . EP 7481
FRANCK Sonate A-Dur (Jacobson) . . . . EP 3742
GRIEG Sonate Nr. 1 F-Dur op. 8 . . . . EP 1340
– Sonate Nr. 2 G-Dur op. 13 . . . . EP 2279
– Sonate Nr. 3 c-Moll op. 45 . . . . EP 2414
HÄNDEL Sonaten für Violine und B.c. (Davisson/Ramin)
– – Bd. I Sonaten A, a, F (HWV 361, 368, 370) . . . . EP 4157a
– – Bd. II Sonaten D, A, E (HWV 371, 372, 373) . . . . EP 4157b
– Sonaten für Violine und B.c. (Burrows)
– – Bd. I Sonaten HWV 359a, 361, 364a, 367a, 372, 373 . . . EP 7315
– – Bd. II Sonaten und Stücke HWV 288, 358, 368,
    370, 371, 406, 407, 408, 412 . . . . EP 7316
HAYDN Sonaten F, es, G, B, G (Hob. XV: 17, 31, 32, 38;
    Hob. XVI, 43bis) (K.H. Köhler) . . . . EP 9017
– Sonate G (nach Hob. III: 81) . . . . EP 190a
JANSCHINOW Concerto im russischen Stil op. 35 . . . . EP 4706
KOMAROWSKI Konzert Nr. 1 e-Moll . . . . EP 4747
– Konzert Nr. 2 A-Dur . . . . EP 4780
MENDELSSOHN BARTHOLDY Sonate f-Moll op. 4 . . . . . EP 1732
– Sonate F-Dur, Erstausgabe (Y. Menuhin) . . . . EP 6075
MOZART Sonaten (Flesch/Schnabel)
– Bd. I KV 296, 301-306, 376, 377 . . . . EP 3315a
– Bd. II KV 378-380, 402, 403, 454, 481, 526, 547, 570 . EP 3315b
NOVAČEK Perpetuum mobile (Davisson) . . . . EP 2786
PFITZNER Sonate e-Moll op. 27 . . . . EP 3620
RAFF Cavatine (mit: Vieuxtemps, Rêverie;
    Wieniawski, Legende) . . . . EP 3383
REGER Sonate c-Moll op. 139 . . . . EP 3985
– 6 ausgewählte kleine Stücke (op. 79/1,2,3; op. 87/1;
    Romanze G, Petite Caprice) (Thiemann) . . . . EP 9105
SAINT-SAËNS Sonate op. 75 (Thiemann) . . . . EP 9291
– Havanaise op. 83 . . . . EP 9292
SCHÖNBERG Fantasie op. 47 . . . . EP 6060
SCHUBERT Rondo in h op.70, Fantasie in C op.159, Varia-
    tionen („Trock'ne Blumen") op.160, Sonate in A op.162 . . EP 156b
– Sonatinen D-Dur, a-Moll, g-Moll op. 137 (C. Herrmann) . EP 156a
SCHUMANN Fantasie op. 131 (Davisson) . . . . EP 2368a
– Sonaten a-Moll op. 105, d-Moll op. 121 . . . . EP 2367
– Fantasiestücke op. 73 . . . . EP 2366b
– Märchenbilder op. 113 . . . . EP 2372
– 3 Romanzen op. 94 . . . . EP 2387
TELEMANN 6 Sonatinen (TWV 41: A2, B2, D2, G3, E1, F1)
    mit Vc. ad lib. (Maertens/Bernstein) . . . . EP 9096
VERACINI Sonate e-Moll (Lenzewski) . . . . EP 4345
– 12 Sonaten (1716) mit B.c., 4 Bde. (Kolneder) . . . . EP 4965a-d
VIVALDI Die Jahreszeiten op. 8 Nr. 1-4 (Kolneder)
– Nr. 1 Der Frühling RV 269 . . . . EP 9055a
– Nr. 2 Der Sommer RV 315 . . . . EP 9055b
– Nr. 3 Der Herbst RV 293 . . . . EP 9055c
– Nr. 4 Der Winter RV 297 . . . . EP 9055d

Bitte fordern Sie den Katalog der Edition Peters an
For our free sales catalogue please contact your local music dealer

C. F. PETERS · FRANKFURT/M. · LEIPZIG · LONDON · NEW YORK

www.edition-peters.de · www.edition-peters.com

15

Edition Peters   9436

Allegro commodo

4.

9436

(Bolero)

Con spirito

5.

EDITION PETERS

Kammermusik für Streicher und Klavier
Chamber music for strings with piano

Klaviertrio

ARENSKY Trio d-Moll op. 32 (Hermann) . . . . EP 4315
J. BAUR Metamorphosen für Klaviertrio . . . . . EP 5985
BEETHOVEN Klaviertrios (Hermann/Grümmer)
– Band I op. 1/1-3, op. 11(Gassenhauer-Trio),
op. 70 (Geistertrio) . . . . EP 166aI
– Band II op. 44, 97 (Erzherzog-Trio), 121a,
WoO 38 (Es-Dur), WoO 39 (B-Dur) . . . . . . EP 166aII
– Sinfonie Nr. 2 op. 36, Septett op. 20 (Trio-
bearbeitungen vom Komponisten) . . . . EP 166b
BRAHMS Klaviertrios (G. Schumann)
– Nr. 1 H-Dur op. 8 (2. Fassung) . . . . EP 3899a
– Nr. 2 Es-Dur op. 40 für Klavier, Violine und
Horn (oder Va. oder Vc.) . . . . EP 3899b
– Nr. 3 C-Dur op. 87 . . . . EP 3899c
– Nr. 4 c-Moll op. 101 . . . . EP 3899d
–Doppelkonzert a-Moll op. 102, Ausgabe für
Violine, Violoncello und Klavier . . . . EP 3902
CHOPIN Trio g-Moll op. 8 (Balakirew) . . . . . . EP 1919
COWELL Trio in 9 kurzen Sätzen . . . . EP 66088
DONIZETTI Trio Es-Dur (Päuler) . . . . EP 8116
– Konzert d-Moll für Vl., Vc. und Orchester,
Ausgabe mit Klavier (Wojciechowski) . . . . . . EP 8293
FRANCK Trio fis-Moll op. 1/1 . . . . EP 3745
GENZMER Trio F-Dur (1944, rev. 1967) . . . . EP 5025
– Trio (1964) . . . . EP 5990
GRIEG Andante con moto EG 116 . . . . EP 8696
HAYDN Klaviertrios (Hermann)
– –Band I Hob. XV: 3, 7, 12, 14, 20, 24-30 . . . EP 192a
– –Band II Hob. XV: 1, 9-11,13,18,19,21,23,31 EP 192b
– –Band III Hob. XV: 2, 4-6, 8, 15-17, 22 . . . . EP 192c
– 3 Trios Hob. XV: 15-17 für Flöte (Vl.), Violon-
cello und Klavier (Burmeister) . . . . EP 8907
– Trio A-Dur Hob.XV: 35 f. Vl., Vc.,Cemb. (Klav.) EP 8172
K. HÖLLER Trio c-Moll op. 34 . . . . EP 5027
KAGEL Trio in drei Sätzen . . . . EP 8604
MENDELSSOHN Trios d-Moll op. 49 und
c-Moll op. 66 . . . . EP 1740
MOZART Trios KV 254, 496, 498, 502, 542,
548, 564 (K. Marguerre) . . . . EP 193a
– Symphonie concertante KV 364 für Violine, Viola
u. Orchester, Ausgabe mit Klavier (Hermann) EP 2206
G. RAPHAEL Trio C op. 11 . . . . EP 3834
ROWLEY Kleines Trio über engl. Volkslieder EP 4385a
– Kleines Trio über französische Volkslieder . . EP 4385b
– Kleines Trio über irische Volkslieder . . . . . . EP 4385c
SCHUBERT Trios B-Dur (D 898), Es-Dur (D 929) EP 167
–Trio Es-dur (Notturno) D 897 (Burmeister) . . EP 167a
SCHUMANN Trios op. 63, 80, 110 . . . . EP 2377
– Fantasiestücke op. 88 (Dörffel) . . . . EP 2378
SMETANA Trio g-Moll op. 15 (Weitzmann) . . EP 4238
TSCHAIKOWSKY Trio a-Moll op. 50 . . . . EP 3777
WEBER Trio g-Moll op. 63 f. Fl.(Vl.), Vc., Klav. EP 1473

2-4 Violinen und Klavier

J.S. BACH Konzert d-Moll für 2 Violinen, Streicher,
und Bc. BWV 1043 Ausgabe für 2 Violinen
und Klavier, Urtextausgabe (D. Oistrach) . . . EP 9032
– Konzert c-Moll für 2 Violinen und Streicher
BWV 1060, Ausgabe mit Klavier (Seiffert) . . EP 3722
HAYDN 6 Sonaten für 2 Violinen und Klavier
op. 8 (Vc. ad lib.) (Gülzow/Weismann)
– Bd. I: Sonaten Es-Dur, G-Dur, h-Moll
(Hob. V: 4, 20, 3) . . . . EP 4376a
– Bd. II: Sonaten Es-Dur, G-Dur, A-Dur
(Hob. V: 17, 20, A1) . . . . EP 4376b
MAURER Concertante op. 55, Ausgabe für vier
Violinen und Klavier . . . . EP 2908
PACHELBEL Kanon und Gigue für 3 Vl. u. Bc. EP 9846
SINDING Serenade A-Dur op. 92 f. 2 Vl. u. Klav. EP 3139
VIVALDI Concerto grosso d-Moll op. 3/11 RV 565
Ausgabe für 2 Violinen und Klavier . . . . EP 4327

Klavierquartett

J.C. BACH Konzert Es-Dur op. 7/5 für 2 Vl.,
Vc. und Klavier (Döbereiner) . . . . EP 3873
BEETHOVEN Klavierquartett Es-Dur op. 16 . . EP 294
BRAHMS Klavierquartett g-Moll op. 25 . . . . EP 3939a
– Klavierquartett A-Dur op. 26 . . . . EP 3939b
– Klavierquartett c-Moll op. 60 . . . . EP 3939c
GENZMER Quartett für Klar., Vl., Vc. u. Klav. EP 8843
K. HÖLLER Klavierquartett op. 7 . . . . EP 5928
MENDELSSOHN Klavierquartett c-Moll op. 1 EP 1741a
– Klavierquartett f-Moll op. 2 . . . . EP 1741b
– Klavierquartett h-Moll op. 3 . . . . EP 1741c
MOZART Klavierquartette g-Moll KV 478 und
Es-Dur KV 493 . . . . EP 272
SCHUBERT Andante und Rondo F-Dur (D 487) EP 1347
SCHUMANN Klavierquartett Es-Dur op. 47 . EP 2380
TANEJEW Klavierquartett E-Dur op. 20 . . . . Bel 547
M. TRAPP Klavierquartett Nr. 3 f-Moll op. 31 EP 8647
WEBER Klavierquartett B-Dur op. 8 . . . . EP 2177

Klavierquintett

(2 Vl., Va., Vc., Klav., wenn nicht anders angegeben)

BRAHMS Klavierquintett f-Moll op. 34 . . . . . EP 3660
FRANCK Klavierquintett f-Moll . . . . EP 3743
PFITZNER Klavierquintett C-Dur op. 23 . . . . EP 2923
SCHNITTKE Klavierquintett . . . . EP 5791
SCHUBERT Forellenquintett A-Dur (D 667) für
Vl., Va., Vc., Kb. und Klav. (Urtext-Neuausg.) EP 9975
SCHUMANN Klavierquintett Es-Dur op. 44 . EP 2381

Klaviersextett

V. BARKAUSKAS Sextett für 2 Vl., Va., Vc., Kb.
und Klavier (1985) . . . . Bel 546
MENDELSSOHN Sextett D-Dur op. 110
für Vl., 2 Va., Vc., Kb. und Klavier . . . . CL 636

C. F. PETERS · FRANKFURT/M. · LEIPZIG · LONDON · NEW YORK
www.edition-peters.de · www.edition-peters.com

7/00